Buíochas mór le Laurence agus le Ljuba
D'Alicia agus a béirín bán
S. P.

D'Arthur agus do Zoé
V. H.

Foilsithe den chéad uair i 2005 ag Mijade, An Bheilg, faoin teideal
Ours Blanc et Ours Brun

Clóchur Gaeilge: Anú Design

Glacann Futa Fata buíochas le Bord na Leabhar Gaeilge agus le Foras na Gaeilge faoin tacaíocht airgid a chuireann siad ar fáil

ISBN: 978-1-906907-04-4

Svetlana Petrovic

Vincent Hardy

Béiríní Ag Troid!

Leagan Gaeilge le Tadhg Mac Dhonnagáin

Futa Fata

Lá breithe Anna a bhí ann. Bhí sí chomh sásta!
Thug Mamó amháin béirín bán d'Anna.
Thug an Mamó eile béirín donn di.
Seachas an dath, bhí an dá
bhéirín díreach mar a chéile.

“An béirín bán is mó a thaitneoidh le hAnna”a deir Mamó amháin.“Seafóid!”a deir an Mamó eile.“An béirín donn a thaitneoidh léi”.“Thú féin is do bhéirín donn!”a deir an chéad Mhamó.“Ní bheidh meas ar bith ag Anna ar bhéirín donn!”

Bhí an dá Mhamó fós ag argóint an lá dar gcionn. "Éist leo!" a deir Anna léi féin. "Is measa iad ná beirt pháiste!"

Agus níorbh iad an dá Mhamó amháin a bhí ag argóint.

Bhí an dá bhéirín aige chomh maith! Thosaigh siad ar maidin agus Anna ag imeacht ar scoil....

...agus lean siad ar aghaidh tríd an oíche nuair a bhí Anna ina codladh. "Is liomsa Anna!" a deir Béirín Bán. "Mise a chonaic i dtosach í!" a deir Béirín Donn.

Thosaigh siad ag tarraingt na pluide. Tharraing siad agus tharraing siad go dtí nach raibh pluid ar bith fágtha ar Anna. Dhúisigh an cailín bocht agus í préachta leis an bhfuacht.

Nuair a bhí Anna ag spraoi an lá dar gcionn, chuir sí na béiríní síos taobh lena chéile. Thosaigh an brú agus an troid. Ba ghearr go raibh Béirín Bán sínte ar an urlár ag Béirín Donn.

“Socróidh mise an t-amadán sin!” a deir Béirín Bán leis féin. Ansin, rinne sé rud éigin uafásach dána. Suas leis ar an deasc, áit a raibh mála scoile Anna fágtha. Leag sé an mála anuas ar Bhéirín Donn!

An lá dar gcionn bhí picnic acu.

D'oscail Béirín Bán buidéal maonáise. Chaith sé spúnóg de le Béirín Donn.
Ba ghearr go raibh Béirín Donn clúdaithe leis.
Bhí Béirín Bán lagaithe ag gáire faoi.

D'oscail Béirín Donn pota suibhe. Chaith sé slám suibhe le Béirín Bán. Ba ghearr go raibh Béirín Bán clúdaithe leis. Is é Béirín Donn a bhí lagaithe ag gáire anois.

"Sin deireadh leis an troid!" a deir Anna.
"Tá mé tinn tuirseach den bheirt agaibh!"

"Isteach leatsa sa chófra!" a deir Anna le Béirín Bán.
Chuir sí Béirín Donn suas ar sheilf ard.
"Cuirfidh sé seo deireadh leis an troid!" a deir sí.

Anois, bhí faitíos ar Bhéirín Donn – níor thaitin áiteanna arda leis!

Faitíos níos measa a bhí ar Bhéirín Bán – níor thaitin áiteanna dorcha leis siúd!

"Cá bhfuil tú curtha ag Anna?" a bhéic Béirín Bán amach as an gcófra. "Níl mé in ann breathnú!" a deir Béirín Donn "tá mo chroí i mo bhéal thuas anseo!"

“Níl mise in ann tada a
fheiceáil istigh anseo!”
a bhéic Béirín Bán.
“Tá mo chroí i mo bhéalsa
chomh maith!”

D’oscail Béirín Donn a shúile go mall. Chonaic sé eitleog taobh thuas de.
“A Bhéirín Bháin” a bhéic sé “tá plean agam!”

Suas ar an tseilf ard le Béirín Donn. Rug sé ar an eitleog. “Tá an tseilf seo uafásach ard!” a deir sé. “Coinnigh ort!” a bhéic Béirín Bán. “Coinnigh ort!”.

Choinnigh Béirín Donn air. Rug sé ar an eitleog,
agus léim sé anuas den tseilf.....

......anuas leis, anuas tríd
an aer, anuas chuig an urlár,
díreach os comhair
an chófra.

“Tá mé ag teacht!” a bhéic Béirín Donn. “Is gearr go mbeidh tú amuigh as sin!” D’oscail Béirín Donn doras an chófra agus isteach leis. Ansin - PLAB!

Dhún an doras mór trom taobh thiar de Bhéirín Donn. "Táimid sáinnithe i gceart anois!" a deir sé. Thosaigh sé ag caoineadh. "Éist anois, maith an béirín" a deir Béirín Bán. "Beidh tú go breá. Nach bhfuil mise anseo le do thaobh?"

Faoi cheann tamaillín eile, ní raibh smid le cloisteáil ón gcófra.

Ar maidin, bhreathnaigh Anna suas ar an tseilf.
"Cá bhfuil Béirín Donn imithe?" a deir sí.

D’oscail sí doras mór trom
an chófra. Céard a bhí roimpi,
istigh sa chófra dorcha, ach
Béirín Bán agus Béirín Donn.
Ina gcodladh go sámh a bhí siad
agus cuma an-sásta ar an mbeirt acu.

Bhí Anna an-sásta chomh maith. Bhí deireadh leis an troid idir Béirín Donn agus Béirín Bán.